KB199658

네가 남기고 간 여운

네가 남기고 간 여운

발 행 | 2024년 11월 11일
저 자 | 어진주
펴낸이 | 한건희
펴낸곳 | 주식회사 부크크
출판사등록 | 2014.07.15.(제2014-16호)
주 소 | 서울특별시 금천구 가산디지털1로 119 SK트윈타워 A동 305호
전 화 | 1670-8316
이메일 | info@bookk.co.kr

ISBN | 979-11-419-6390-3

네가 남기고 간 여운

저자 어진주

차례

머리말

결국 시간이 지나고 나면 기억하고 싶었던 순간들도
잊히고, 사라지고, 무뎌집니다. 그래서 모든 순간들이
기억 속으로 미화되겠지만
몇 개의 기억들은 그 기억 속에서도 영원히 기억되며
여운이 남을 기억들을 위해서,
이미 무뎌져버린 추억의 여운을 끄내 보기 위해서
한 글자, 한 글자씩 모든 글들을 신중히 써 내려갔습니다.

난 아직도 그 여운을 잊지 못해
생겨버린 그리움이란 감정을 가지고
여운에 여운을 더해 너를 잊는중이야

기억

쌩쌩 부는 바람에
거세게 흔들리는 커튼 앞에서도
나긋하게 멍을 때리는
너의 생각이 너무나도 궁금해

너도 나와 같은 생각을 하고 있을까
너도 나와 같은 마음일까

나는 너와의 잠깐의 기억들이
모두 선명히 남아있는데

너도 나와 같은 잠깐의 기억들이
모두 선명히 남아있을까

너의 눈동자가 흔들릴 때마다
잠깐의 기억이라도
너의 눈동자에 내가 기억됐으면 좋겠다

겨울

길고 긴 시간을 돌고 돌아 다시 내게로 온
너는 나에게 겨울을 주기로 약속했지만

그 겨울은 영원하지 않았기에
그 겨울을 멀리 떠나보내야 했어
떠나갈 것에 미련조차 두지 않는 연습을 했거든

한참이 지났을까,
다시 돌아온 계절은 나에게 겨울이란 소망을 빌곤

같은 온기를 나누겠다는 핑계로
나의 온기마저 뺏어가 겨울을 빌었지

너는 늘 그랬듯 내가 가진 모든 것을 가져가고
필요가 없어질 때 즈음 나에게 다가와 겨울을 속삭이니

너였기에

다른 이유 하나조차 없었다
온전히 너의 형태를 띤 그저 너였기에 품을 수 있었다

텅텅 빈 공허함을 가지고 있던 너마저도
내가 널 이 세상으로부터 가려줄 수 있었다

그저 "사랑해"라는 말 한마디에 내 몸이 이끌린 게 아니라
내 마음이 움직여 가능했던 것이었으니까

그저 너였기에
그저 너였기에 사랑했던 걸지도 모른다

거짓말

겨울을 속여서라도
가끔 낙원으로 도망치고 싶다

그 푸르다는 거짓된 세상을 버리고 도망치고 싶다

내가 도망치는 그날에는 비가 많이 왔으면 좋겠다
겨울의 차가운 공기 탓을 대며 비가 쏟아지면 좋겠다

그 누구보다 행복한 웃음을 보이며
이 순간만큼은 내가 제일 행복한 것처럼
나는 그 비를 맞으며 도망칠 텐데

그리고 내가 도착한 낙원 속에는 맑은 구름이 띄면 좋겠다

그제야 겨울을 속여 미안하다며
푸른 하늘에게 별을 올려보낼 테니

영화

우리의 이야기를 영화로 만들어본다면
끝나지 않을 것 같아

너와 나의 이야기 속 오류가 생겨서
이 시간이 잠시 동안 멈춘다고 해도

오랫동안 광고가 뜨는데 건너뛰기 버튼이 없어서
계속 기다려야 한다고 해도
별별의 핑계들을 대며 끝나지 않을 것 같아

이 영화가 아주 만약에 끝난다고 해도
내 기억 속엔 영원히 우리들만의 영화가
계속해서 재생되고 있을 테니 걱정 마

내가 이 영화의 제작자가 되어서 영원히 이야기를 만들게

청춘

청춘이 뭔지 모르겠다는 너는
우습게도 이미 청춘을 꿰뚫고 있었다

나의 청춘을 앗아간 너는 그리도 할 말이 많은지
주절주절 무언갈 계속 말하고 있었다

청춘이라는 핑계를 대며
스며드는 웃음을 거부하지 못하는 너는
결국 스며드는 모든 걸 받고는 떠나보내고는 했다

우리의 그날이 담긴 사진을 볼 때면
밤새 모아둔 그리움이 터져

우리 같은 혼합된 감정들이
멋대로 뒤죽박죽 섞여 표출되기도 했다

그럼에도 남아있는 청춘에 우리는 한 번 더
알 수 없는 그리움과 우리 감정이 섞여 표출이 되고 있다

조개

조개 따위가 파도를 사랑했다
그래서 조개는 파도를 얻으려 무슨 짓이든 다 했다

파도는 좋겠다
가만히 몰아쳐도 자신을 얻으려 오는 것이 있으니
그래서 파도는 더 거세게 자신을 몰아쳤다

조개는 매일매일을 바다로 나아가
파도를 얻고자 노력했고

파도는 자신을 계속 밀어내어 조개와 파도의 거리는
점점 더 멀어져 가는데 조개는 포기하지 않는다

늘 앞으로 더 나아가 빠르게 나아가는 방법도 배운다

그 결과 이제는 바다에 파도가 없어도
조개는 늘 앞으로 나아갈 수 있게 되었다

미지

우리가 무한으로 추락하고 있는 듯한 느낌

전기가 통하듯이
온몸과 마음이 저려오고
모든 순간들이 애매모호한 느낌들로 보이듯

지금, 우린 알 수 없는 미지의 겨울에 있는 것 같다

그럼에도 무한으로 나타나는 겨울에
당황하던 우리는 이젠 대처할 수 있다

알 수 없는 계절이지만 우린 알고 있기에
이 겨울이 무슨 겨울인지를

공존

나는 여름에서 사는 사람이었다
너는 반대된 겨울에 사는 사람이었고

다정한 너와는 달리
나는 따갑기만 했고 때론 밀어내기도 했고

우리 마음은 같았지만 공존하는 시기가 잘못됐고
그렇게 마음 빼고는 다 반대였던 우리 계절이었다

너는 하필 왜 겨울에 살아서
그 차갑고 쓸쓸한 겨울에 공존해서
네 맘이 얼 때 내가 여름을 지나 너에게 갈 수가 없으니

영원

영원한 건 없다는 걸 알면서도
영원을 빌었던 나는
영원에 대한 희망이 너무 많았던 걸까

부디 영원한 건 없을지라도
내가 너를 오래도록 사랑하기를
오늘 밤 간절히 내 바램을 올려보내고

나는 처음부터 영원하지 못하기에
이 사랑이 영원은 못하더라도

오래도록 남아있기를 빌며
영원의 대체어로 대신해 본다

사랑이 영원치 않더라도
오래도록 너를 사랑할 수 있도록

겨울밤

차디찬 겨울이었지만
겨울밤만큼은 내게 적당히 온도를 맞춰주었다

내가 겨울과 파도를 사랑하는 건 어떻게 알고
이렇게 매 순간 찾아오는지

이번 겨울밤은 파도의 찰랑거리는 윤슬 대신
흘러내리는 내 눈물들로 대체할 테니
늘 그랬던 것처럼 눈물을 받아들이기를

겨울밤의 파도는 출렁일 때마다
빛나는 윤슬이 내 시야를 가득 채우고

그렇게 빛나는 눈물이 내 시야를 가득 채운다
이번 겨울밤은 그리도 가득한 겨울인가 보다

향기

네 향이 사라지는 줄도 모른 채
나는 널 점점 잊어가고 있었어

너의 존재가 점점 사라지고 있었던걸
깨닫지 못하고 있었던 나를 용서해 줄래?

네 향이 사라지는 시간이
그리 길지 않으니
나는 너에게 내 모든 것을 줄게

너는 나에게 네 향을 조금만 남겨주고 떠날래?

너만의 향을 내가 내 손에 움켜진 채
은방울꽃이 활짝 핀 길거리를 지나다니며
너를 이 세상에 알려줄게

점점 더 네 향이 저 멀리 퍼져 내 심장까지 닿도록
그리곤 내 심장박동이 더 빠르게 뛰도록

달

나는 오늘도 달을 보며 네 생각을 해
달한테서 희미하게 네가 보이니까
자연스레 달을 보면 네 생각이 나

그래서 네 생각을 멈추기가 어려워

아침에도 가끔 달이 뜬다는데
그래서 그런가 너에 대한 생각을 안 할 수가 없어

너는 매일을 나에게로부터 존재해
나는 항상 널 바라보게 돼있고

그렇다면 우리 달을 사랑해도 되지 않을까
나는 매일을 달처럼 너를 보고 있으니까

겨울 조각

아직도 내겐 차가운 겨울의 온도
나에겐 아직도 따듯했던 겨울의 기억

그때를 잊지 못해 생기는 겨울의 여운
눈이 내리던 그날 생각하던 겨울의 공상

작고 작은 파도가 요동쳐도
그대 맘 흔들리듯이

작고 작은 겨울의 조각들이 뭉쳐
결국 큰 겨울의 조각들을 만들어낼 테니

그대는 서둘러 겨울의 큰 조각 중 한 조각으로 채워지길
그렇게 간절히 소망하며
겨울의 조각들을 하나씩 더 채워나가는 오늘

환상

환상이 가득한 겨울
눈여겨 내리는 폭설에도 아랑곳 않고 넘치는 눈들

우리라는 단어와 연결시켜
우리의 환상이라는 단어를 만들어내고

그 속에 담긴 우리를 찾기 위해
환상 가득한 겨울을 누비며 눈들을 맞곤
그대는 그렇게 끝없는 겨울에 갇히곤 한다

눈이 그렇게도 좋았었나

환상이 보여 눈으로 착각했던 거였나
그대는 그렇게 매일을 눈 속에 갇혀 산다

소용없는 겨울

유난히도 내게 쌀쌀맞던 겨울밤
부서지는 파도에 모래 위로

이리저리 갈데없는 유리조각을 주워
우리의 이름을 새겨본다

여전히 겨울밤 바다는 내겐 쌀쌀맞고,
우리의 머리 위로 부는 거센 바람에 흔들리는
내 흙빛을 띄는 머리카락
부는 바람에 저항하듯 가지런히 정리를 해본다

소용없는 일인 듯
다시 거세게 엉클어진 머리카락

때마침 밀려오는 파도에 우리 이름은 사라지고
작은 흔적이 남은 우리 겨울에 소용없는
우리 사랑을 새겨본다

자각몽

넌 이 세상 속에서 나 혼자 이 세상이
가짜라는 걸 알게 되면 어떻게 할래?

그 꿈에서 깨어나 멀리 도망칠래
아니면 그 꿈에서 영원히 깨어나지 않을래

네가 이 현실과 꿈의 경계선을 자각하고 있으면서도
너는 끝까지 이곳을 떠나지 않을 거니?

이 세상을 벗어나면 어떤 세상이 펼쳐질지 모르잖아
아니면 지금, 내 손을 잡고 같이 도망칠래?

염원

끝없는 세상의 무한을 꿈으로 품고
점점 커져만 가는 나의 염원은 감싸 안는다

그만 커져가면 좋을 나의 염원
너무 익숙해져 잊고 살았던 수많은 나의 염원

그만 내게로 와 헛된 희망을 품지 않도록
멀리멀리 달아나주길

네가 도착한 곳에는 네가 그토록 원했던
많은 염원들이 도착해 너를 기다리고 있었을 테니

이제 그만 너의 세상으로 돌아가길

편지

내 진심만을 듬뿍 담은 나의 편지
나의 사랑도 담은 나의 편지를 그대에게

흔들리는 편지 속 글들이 하나하나
읽는 그대의 머릿속에 들어가 하나의 자리를 만드길

하나의 창고 같은 자리가 만들어져
나에 대한 생각을 매일매일 할 수 있게

그렇게 편지를 읽을 때마다 머릿속에는
온통 내 생각으로 뒤덮여지길

매일 한순간 놓치지 않고 내 생각만 하길

한겨울

한겨울에 가볍게 외투를 걸친 너는
춥지 않다며 나를 위한 뻔한 거짓말을 치고는
외투를 내 등위에 슬쩍 걸쳐주었지

그날을 잊지 말았어야 했을까
너는 그날 이후 내 눈앞에 나타난 적이 없잖아

꿈에서라도 나타나주지
내가 그렇게도 미웠나 꿈에서도 나오질 않고

그 너의 뻔한 거짓말에 매일을 속으며
점차 너를 한겨울에 잃어버리고 말았어

이제는 그만 속아야지 하면서도
매일 똑같은 방법에 속던 어리석은 나는

지금도 네 한겨울 거짓말에 얽혀 살고 있어

순간

매일을 간절히 바랬던 돌아가고픈 순간들,
이제는 너무 많은 시간이 지나 돌이킬 수 없는 시간들,

이대로 멈춰만 버릴 것 같은 이 나날들,
순간을 매일로 착각했던 어리석은 나의 어렸던 생각들,

많은 나날들이 지나 지금이 오고
지금이 지나 미래가 되어 이 순간들이 잊힌대도

어떻게 해서든지 매일을 기억할 거야
돌아가고 싶었던, 그래서 간절히 빌었던 순간들을

그리고 이제는 돌아가서 제자리로 되돌려놓아야 할 시간
작별 인사를 고하며 멀어지는 시간들을 바라보기만 한다

.

여운1

떠난 사람이 남겨놓은 좋은 영향 또는
소리가 그치거나 거의 사라진 뒤에도 아직 남아 있는 음향

네가 떠난 후 남겨진 너의 좋은 향기
네가 떠난 날 비가 그치고도 아직 남아 있는 빗소리

이게 네가 남기고 간 좋은 영향일까
이 소리가 네가 남기고 간 마지막 여운일까

나는 네가 떠나고 나서 여운이 그치질 않는다

네가 남겨둔 너의 좋은 향기도
아직까지도 환청처럼 들리는 빗소리도

이게 너의 여운이라면
나의 여운은 네가 될 텐데

시절

변한 것은 네가 모래사장에 새겨둔 우리 이름
변하지 않은 것은 모래사장에 새겨둔 우리 이름과 기억

그 시절에 그대로 남아있는 흔적들
그러나 조금은 흩어져 버린 우리 이름 담긴 모래알들

네가 그날 그대로 남아있었다면 좋았을 텐데
그 흩날리는 모래알들 속에서도
우리 이름을 찾을 수 있었다면 좋았을 텐데

아쉽게도 사라져버린 우리 이름, 그날 빌었던 우리 소원,
네가 지겹도록 말했던 우리 영원

그 시절에 그대로 남아있는 거라곤 우리 사랑했었던 기억
그날의 기억만으로도 충분하다

심장

네 심장이 강한 건 알고 있었어
네 심장박동이 그리 빠르지도, 느리지도 않았던 것도

너는 내가 마음에 안 들다고 나의 심장을 망가뜨려서
나는 아직도 부서진 심장을 갖고 살고 있어

그래서 그런지 심장박동도 느껴지지도 않고
내 숨소리도 네 손길도 느껴지지가 않아
어쩌면 오래전에 죽었었던 걸까

먼저 심장이 망가진 사람이 상대방의 심장도 망가뜨리기로
네가 분명 오래전에 말했었던 것 같은데

그래놓고서 내 심장은 처참히 망가졌는데
네 심장이 보이고 네 심장박동소리가 들려

낙원

나는 지금도 세상을 자유로이 유영 중이다
그토록 내가 원했던 낙원은 바다였으니

바다를 천천히 유영하며 세상의 실체를
저 멀리 곳곳에 떠벌리고 다녔을 테니

이제는 헤엄치지 않아도, 손을 휘저으며 수영하지 않아도
아무 손짓 없이 바다 위로 몸이 뜰 수 있고

내 몸을 바다에 맡긴 채
그렇게 편안히 세상 곳곳의 얘기를 털어두며

이 넓고 자유로운 낙원을 천천히 유영한다
파도의 물결조차 나의 몸을 건드리지 않는다

약속

봄이 오면 흩날리는 벚꽃잎을 잡아
간절히 나를 위한 소원만을 빌어주겠다 약속했던 너

여름이 오면 뜨거운 햇빛 아래
일렁거리는 바다의 파도를 닮은 시원한 레모네이드를
함께 나눠먹자고 약속했던 너

가을이 오면 점차 떨어지는 단풍잎 사이로
웃고 있는 나를 캠코더로 온전히 담아주겠다 약속했던 너

마침내 겨울이 오면 첫눈이 오는 날
환하게 켜진 가로등 아래에서
붉어지는 내 손을 잡고 함께를 약속했던 너

그렇게 수많은 약속을 하곤 도망가 버린 너는
약속들의 유효기간이 지나기 전 돌아와
아무 일 없던 것처럼 나를 꼭 안아주길

영원

세상에 영원한 것도 없고,
영원하지도 않는 것을 알면서도
우리는 가끔 영원을 꿈꾼다

밤하늘 수없이 올려진 별들을 하나씩 세어보며
수많은 영원의 관련된 소원들을 불에 태워버린다

어쩌면 영원일지도 모르는 것들을
감히 판단하여 태워버린다

어쩌면 우리의 영원도 불타버린지 오래였을까

첫사랑

너는 나의 첫사랑
가장 많이 좋아하고 아팠던 첫사랑

나의 사랑이 되고 싶었던 건지
나의 사람이 되고 싶었던 건지

뭐가 아쉬워서 나의 사랑도 앗아가나
그래도 나의 첫 번째 사랑을 가져간 너를 용서할게

내 첫사랑을 앗아간 네가 밉지만
잊을 수 없는 기억을 선물해 준 네가 좋아

그니까 얼른 내게로 돌아와
다시금 마지막 사랑을 장식해 줘

흐려지는 것

생각보다 별것 아닐 줄 알았던 흐려가는 것들

한창 나른했던 푸른 들판 위에 온기가 흐려지는 것
구름 한 점 없이 맑았던 하늘의 색이 흐려지는 것

내리는 비에 기꺼이 맞은 몸의 온도가 흐려지는 것
너를 생각하며 지냈던 날들이 점차 흐려지는 것

생각보다 별것이었다

들판 위에 온기가 흐려져 아름다워 보였던 풍경이 지워지고
맑은 하늘의 색이 점점 보이지 않고

내리는 비를 맞았던 몸의 온도는 점점 높아져가고
너를 생각하며 지냈던 날들은 점차 잊히고

겨울의 끝자락

내가 너와 눈을 맞추려 할 때마다
너의 눈동자는 갈 길을 잃고 빠르게 좌우로 움직이곤
손과 몸이 배배 꼬이듯이 부끄러워하는 너는

이제 시원한 바람을 맘껏 느낄새도 없이
겨울의 끝자락에 멈춰 서있어

나는 그런 널 보며
이 세상 모든 겨울의 차디찬 공기를 들이마신듯해

널 보며 방긋 웃고 손인사를 건네던 내가
얼떨결 한 웃음을 짓고 어색하게 손인사를 하는 네가
겨울의 끝자락에 서있어

은방울 꽃

같이 은방울꽃 보러 가기로 한 날은 기억나는지
그날이 오늘인 것은 알고 있는지 모르겠네

잊어도 괜찮아
네가 행복하면 그거로도 충분해

너는 내 행복을 가져가도 괜찮은 사람이야
내 행복을 가져가서 두 배로 행복해도 돼

아무 말 하지 않을게
그냥 너는 나대신 행복하기만 해주면 돼

새벽

침묵으로 깨어있는 새벽
네가 없는 새벽의 나는 자꾸만 졸았다

유일한 카페인이 사라져서
허기짐에 눈을 뜰 수가 없었다

네가 없는 이젠 매일이 새벽이다
네가 없는 새벽이 매일 지속된다

이제는 새벽에 눈을 뜰 수도, 감을 수도 없다
눈을 뜰 때면 네가 보이고 감으면 네 모습이 보이질 않으니

이 새벽에 유일한 나의 침묵만이
쓸쓸해 보이는 내 뒷모습을 안아준다

유랑

일정하게 머물 곳이 없어
아직도 네 마음속에서 유랑 중이다

네 마음 한편에 자리 잡고 싶다고 소망한 오늘
수시로 네 마음이 변해 가라앉을 수 없다

유랑하며 깨달은 너에 관한 사실이 있다
너는 이미 마음이 멈춘 지 오래되었단 걸

그럼에도 자리 잡을 수 없었던 나의 이유는 무엇이고
아직도 곳곳을 떠드는 나의 유랑은 뭘까

지금까지 나는 네 맘도 모른 채
네 맘속 이리저리를 유영한 걸까

추억

오래된 시간이 멈춰서
그 시간 속에 영원히 존재하는 것

만약 그게 추억이라면
나는 평생이 추억이며 영원일 텐데

그 시간 속에 네가 존재했으니
너는 영원하며 내 추억 속에 매일을 살 텐데

추억은 매일을 잊은 하루와도 같아서
아직도 너는 그 시간 속에 갇혀 살 텐데

낭만

너는 그리도 낭만을 좋아했었지
현실 세계가 아닌 꿈의 세계를 산다며 좋아했었는데,

현실이 괴로워도 꿈을 꾸는 순간만큼은
다 용서가 된다던 너는
그래서 현실을 벗어나 꿈으로 달아난 거니

그게 네가 원하던 낭만이었어?
그냥 꿈으로 달아나는 것 자체가 낭만이었나

그게 너의 낭만이라면
내 낭만이자 나의 꿈은 너였어

꿈에서만 널 보고 기억하고 낭만을 느껴
너를 보면 나는 현실이 아닌 꿈에 살거든

회상

너와 걷던 그 바닷길을 회상한다

지나간 그 바닷길의 향기, 발을 옮기던 발걸음 소리
너의 손을 잡았던 부드러운 촉감,
저 멀리서 들리는 파도치는 소리

그 모든 것들이 나를 회상 속에 살도록 만든다

그 회상 속에 빠져들고 나면 뒤늦게 몰려오는 현실감에
현실을 부정하는 괴로움에 휩싸인다

내가 회상했던 그날
모든 것들은 나의 힘이 되고는
다시 후회스러웠던 기억으로 남는다

후회

비가 내리고 땅이 점차 젖어간다
우리의 서곡이 시작되는 소리가 들린다

비가 고여 생긴 물웅덩이는
떨어지는 물방울 소리에 맞춰서 드럼이 되고

비를 맞지 않으려 핀 우산은
서곡의 시작을 막는 철없는 우리가 되고

그렇게 다시 떠오른 우리 철없던 시간들
그 시간을 뉘우치며 후회하는 지금

변함

금세 잊히고 갈라지고 부딪혀
처음과는 전혀 다른 변함이 생긴대도
너는 나를 계속 사랑할 거야?

내가 처음과는 전혀 다른 모습이어도
너는 끝까지 나를 사랑할 거야?

내가 이렇게 묻지 않아도
결국에도 너도 변하고야 말겠지
나를 사랑한다는 말을 어긴 채 변해가겠지

그렇게 나도 너도 우리도 변해가겠지

도피

너로부터 도피해 결국 도착한 곳은 너였다
어딘가에 부딪혀도 보고 피해도 보고 다 해봤지만

그래서 너만큼은 피하려고 항시 도피를 해왔지만
결국 끝에 도착한 곳은 항상 너였다

이것이 너와 내가 연결될 수 있단 희망인 건지
그냥 내 눈앞에는 너밖에 보이지 않는 것인지

너로부터 도피할 준비는 매일 되어있는데
왜 도피할 수 없는 건지

그렇게 매일을 의문 속에 살며 오늘도 너에게서 산다

여름 공기

햇살이 쨍쨍하며 바람도 선선히 부는
수많은 여름의 공기를 가진 이 여름

나는 여름이 좋았다
여름 공기의 특유 향기와 그 분위기

그 분위기와 향기가 너무 그리웠다
매일을 여름 속에 살던 나는 여름이 그리웠다

이런 여름의 공기를 매일 맡고
여름이 증발되지 않길 꼭 붙잡지만

이제는 이 남은 여름 공기마저 떠나보내려 한다

필연

감히 너와 내가 필연이길 바랐다
우리에겐 아무 인연도 남아있질 않았지만

그 모든 걸 알면서도 우리가 이어지길 바랐다
정말 크고 거짓된 허한 망상을 꾸고 있었다

너와 내가 손끝 한번 스칠 때면
그게 필연이라고 생각했던 나는

이제는 너와 나의 목소리가 맞닿을 때도
필연이라는 생각에 끝없이 잠긴다

이렇게 너에 관한 허한 망상을 꾸며
오늘도 나는 너와 필연이라는 생각에 잠식된다

만약

만약 내가 없어진다면 너는 내 걱정을 할까
오랜 걱정에 잠도 못 자고 밤을 지새울까

내가 네 앞에 나타나질 않아 날 포기하고
나에게서 등을 돌리곤 절대 나를 찾지 않겠단 다짐을 할까

만약 내가 네 앞에 나타나면 날 안아줄까
아니라면 나를 원망하며 더욱 밀쳐낼까

오래 없어진 시간 동안 날 찾느라 고생한 너는
내가 널 찾은 시간의 반도 고생하지 않았단 걸 알까

아니, 네가 오래전에는 없었다는 걸 알곤 있을까
그냥 잊은 걸까 잊힌 걸까

시도

단 한 번의 시도로
환상을 실제로 보는 착각을 했다

이렇게 쉽게 착각이 될 수 있었다면
오래전 그 환상을 무시하지 않았을 텐데

단 몇 번의 시도로
손을 최대치로 뻗었더니 별에 손이 닿았다

이렇게 쉽게 될 줄 알았다면
더 일찍 시도해 볼걸 후회를 한다

이렇게 여러 번의 시도로 어려운 것들을 이뤘지만
너는 하늘에 별 따기 보다 얼마나 더 어려운지

수백 번을 시도해 봐도 너는 잡히지가 않는다

꿈

꿈속에서 만난 너의 모습
환한 미소를 지으며 나에게 손을 건네던 너의 모습

지금 네 모습과 꿈에서의 네 모습은
너무 달랐기에 지금을 알아 체기가 쉬웠다

그럼에도 꿈을 꿀 때면 지금 네 모습이 떠올랐다
널 사랑한 마음이 같아서 그랬을까

아침이 오면 우린 점차 사라지겠지만
꿈속에서 만났던 우리 모습은 사라지지 않겠지

꿈은 기억 속에 남겠지만
우리는 순간 속에 남으니까

비

비가 그리도 쏟아지던 날
그 비를 맞고 숲속으로 뛰쳐 들어간 날

나는 그날 만난 모든 것의 형태를 잊지 못해
아직도 모든 형태를 생각하며 살아간다

일정하지 못한 빗소리, 기울여 내리는 비의 모양,
비를 맞던 내 모습, 그때 보였던 누군가와 나의 만남

그날의 만남을 잊지 못해 모든 형태가 기억나는 건지
모든 형태가 기억나 그날의 만남이 떠오르는 건지

잊히지 못하는 것도 괴롭다
계속해서 떠오르며 평범한 나날들을 괴롭힌다

결국

결국은 지나가는구나
우리 모든 이야기가 담긴 그날까지도

낭만 가득한 어느 연인의 약속도
애틋함이 떠오르는 누군가를 향한 마음도

저기 적막 짙은 어느 도시의 강물 따라서
모든 이야기들을 담고는 천천히 떠내려가는구나

흐르고 흘러서 마지막엔 어디에 도착하려나
끊임없이 흘러서 정착지가 없으려나

마지막으로 작별 인사라도 시켜주지
미련 없이도 훌훌 떠내려가는구나

바다

바다 위에 조용히 떠다니는 공기가 되고 싶다

바다의 파도에 익숙해져 거친 파도도 이겨낼 테니
아무리 크고 높은 파도가 와도 이겨내고 말 거니까

그러다가 작은 파도가 올 때는 조용히 떠다니고 싶다
만약 아주 거대한 파도가 날 끌어내리려고 해도
바다가 날 지켜줄 테니까

떠다니느라 지쳤을 때는 가끔 하늘을 올려다보면
쨍한 노을의 잔상이 바다에 비쳐 아름다움을 만들어줄 테니

그렇게 살아가고 싶다
바다 위에 천천히 떠다니며 자유롭게

애열

너를 부르며 목놓아 운다
너무 사랑해서인지 너무 미워서인지

어제까지 너를 애열했고
지금은 너를 애열하고

이젠 닿지 않을 너에게
평생 너를 사랑했던 내가

푸름

푸름의 계절이 오면
가장 먼저 너를 찾고 너만을 바라볼게

네가 원한 푸름이 아니더라도
난 그저 푸른 모든 것을 보며
느끼는 순수함을 오직 너에게만 탓할게

너는 그저 푸름이 느껴져 내가 널 부를 때
그때 나에게 다가오면 돼

짜릿한 푸름의 계절이 다가오면
천천히 강물을 타고 내려와도 돼

굳이 나만을 바라보지 않아도 돼
오면서 주변에 푸른 모든 것을 바라봐도 돼

나는 너만의 푸름만을 사랑할게

프루스트

지금 나는 겨울의 계절에 있지만
이상하게도 바닷가의 향기가 나면

과거 여름 바닷가의 회상에 잠긴다
그날 있었던 일 모든 게 떠오르고

푸르고 푸르러서 세상은 넓게 보이며
출렁거리던 파도 위의 윤슬은 빛나고

사람들이 모래밭을 지나다니며 흩날리는 모래알과
바다라 그런지 더 힘차게 부는 바람의 느낌

나는 지금 과거 여름 이곳 바닷가에 존재한다

하늘에게

너는 나에게서 높아서 내가 닿을 수도 없어
너의 주변에는 구름이 많고 새가 날아다니거든

가끔은 비행기도 떠돌아다녀
그래서 너는 구경할 거리가 많았겠지

아 그리고 밤이 되면 별이 밝게 빛나서
너의 주변에서 너를 밝게 빛나게 해

다시 아침이 되면 평소와 똑같은 것들이 보이겠지
네 모습은 참 아름다운데
너는 너의 모습이 아름답단 걸 알까

너는 네가 보이지 않겠지
네 모습은 유랑처럼 매일 하늘 속의 하늘을 떠도니

여름날

모든 여름날은 하나의 소설 같아
항상 아쉬웠던 여름날이거든

너로 시작해 너로 끝나며
어딜 가든 널 닮은 꽃들이 펼쳐져 있고

땀을 흘려 축축해진 등 뒤로
너를 쳐다보던 나

나는 더위를 무시한 채 널 바라보고
나타나는 뜨거움을 감추기에 애썼지

나의 모든 여름에 담겨있던 너
이제는 그 속에서 나가버린 너

바다를 꿈꾸며

바다 위 윤슬이 찰랑거리는 것에 이끌려
깊은 바다에게로 다가갔다

바다의 적막함이 오로지 나만을 느끼게 한다
들리는 것이라고는 빠르게 요동치는 내 심장소리

가쁘게 숨을 내쉬는 내 숨소리
결국엔 모든 것을 안정시킨 듯 다시 적막해지는 소리

모든 소리가 날 바다로 잠식하게 만든다

그렇게 매일 바다에 잠식하며 바다를 꿈꾸고
꿈을 꾸는 과정에선 또 잠식하며 바다를 꿈꾼다

벗어나고 싶어도
나 혼자선 절대 못 벗어나는 곳

여름 맛 겨울

분명 내가 본 계절은 여름이었는데
힘껏 들이켜본 공기가 신선치 않고 차가울 때

힘차게 들이켜본 숨이 너무나도 차디찰 때
그제야 느끼는 여름 맛 겨울

하늘을 올려다보니 새하얀 첫눈이 내리고 있다
하지만 지금 내게 이 계절은 너무 더워 땀이 흐를 지경이다

모순적인 느낌의 이 계절
다시 한번 눈을 감고 손의 부드러운 촉감을 느낀다

이건 여름, 저건 겨울
아, 이제야 계절의 모순을 알게 되었구나

화양연화(花樣年華)

꽃처럼 아름답고 바다의 윤슬처럼 매일을 빛나는 너는
매일이 화양연화 같았겠지

매일이 청춘이며 매일이 인생에서 가장 행복한 순간이겠지
모진 것 하나 없어 사랑만 받으며 자랐던 너는

매일 아침 화단에 핀 꽃들을 보며 생각하겠지
이 수많은 꽃들의 꽃말이 무엇일지

그런 너에게 지나간 행복을 선물해 줄게
사프란 꽃 한송이를 선물해 줄게

어쩌면 네가 원했을지도 모를 화양연화야

낙화유수(落花流水)

전생에 만났더라도 만나지 못했던 우리가
다시 만날 수 있는 기회

나는 네가 시냇물을 타고 잘 흘러가길 바라고
너는 나를 담고 꽃을 담아 흘러가기를 바라

네가 도착한 곳에는 물이 흐르는 호수가 있을 테고
나는 그곳에서 너의 한 부분이 되어 영원한 짝을 이룰 테니

그리곤 그냥 사랑하기엔 핑곗거리가 없으니
낙화유수를 빌려 사랑하자

흐르는 시냇물은 우리를 담고
매 순간마다 네가 담던 꽃들은 우리를 빛나게 할 테니

지구멸망

지구가 멸망한다면
너에게 꼭 전하고 싶은 말이 있다

"지구 멸망의 마지막을 너로 채우고 싶어
너와의 마지막 생을 다하고 싶어"
나는 지구 멸망 속에 너에게 이 말만 전하고 싶다

멸망을 막지 못하더라도
너만을 위한 멸망이 될게

마지막에 너를 볼 수 있다면 그것만으로 충분해
네 모습을 보며 점차 사라지는 지구의 모습을 볼게

하나의 마지막과 하나의 시작을 보기
내 두 눈으로는 충분하니까

문제

너는 가장 풀기 어려운 문제 같았다
풀이는 길어져만 가는데 답은 나오지 않았다

모든 문제에 답이 있듯이
너에 대한 답이 있을 줄 알았는데

천천히 써보기도 하고 지워보기도 하고
강의를 들어보기도 하며 모든 수를 다 썼는데

너는 도무지 풀리지 않는 문제였단 걸
너무나도 늦게 깨달아버렸다

애초에 풀이 과정부터 틀렸었단 걸
공식도 전혀 달랐고 그래서 답이 나오지 않았던 걸

사랑

각자마다의 사랑의 사정이 있지만
사랑은 도대체 뭐길래 아직도 정의가 내려지지 않은 건지

차가운 겨울밤과 뜨거운 여름밤의 조합일지라도
서로 사랑한다면 사랑이라고 해줄는지

사랑하지 않더라도 사랑이 들어간다면
그것도 사랑이라고 해줄는지

모든 노래에 사랑이 들어갈 정도로 사랑은 흔한데
왜 각자마다의 사랑이 있는 건지

하나로 통합을 할 순 없는 건지
너랑 나는 사랑일 수 없길래 사랑을 못하는 건지

소망

내가 소망했던 것은 그냥 사랑하는 사람이 아닌
비가 내려도 사랑할 수 있는 사람이었다

비가 내릴 때도 내 곁을 지켜주며
비를 좋아한다는 나를 위해 어깨가 다 젖으면서까지
우산을 내 쪽으로 기울여주던 그런 사람이 필요했다

그날이 오기를 소망했고
그날보다 그런 사람이 오기를 소망했다

추워서 몸을 떨면서도 애써 웃으며
지키지도 못할 수많은 약속들을 세울 그날을 소망했다

그날 이후로 날 떠난대도 그 기억으로 살아갈 테니
얼른 다가와 주길 간절히 바라왔다

추락

너와 함께 아찔한 추락을 하고 싶어
심장이 저릿저릿하며 온몸에 쥐가 날 것 같은 그런 느낌

추락을 하는 그 순간에는
따듯한 손을 맞잡으며 함께 떨어지고 싶어

익숙한 듯 주절주절 막힘없이 설명하던 너
넌 내게 추락하는 법과 말하는 방법을 말해주었지

나는 네 말을 철석같이 믿고 네 손을 잡고
추락하려고 했는데 결국 떨어진 건 우리가 아닌 나였어

네 거짓말에 속을 걸 알면서도 나는 네 손을 잡았어
나는 널 위해 죽을 정도로 사랑했거든

그리움1

그리움에 잠기는 오늘 밤
무심한 듯 따뜻했던 네 손길이 그리워

밤하늘에 빛나는 별들과 달처럼
네가 내 눈앞에서 아른거려

네가 떠난 그날
붉어진 눈으로 애타게 너를 찾으며
나는 아직도 그 자리에 서있어

눈을 감을 때면 나타나는 네 모습
그래서 너 때문에 매일 뜬눈으로 밤을 지새워

눈빛

널 바라볼 때 내 눈빛은
그 어느 날의 빛나는 햇살보다 밝았고

네 눈과 내 눈이 마주칠 때
나의 볼과 귀는 잘 익은 토마토보다도 빨갰어

표정은 아무렇지 않은척하지만
심장은 튀어나가기 직전이고 말과 몸이 꼬일 정도였어

나는 너와 눈을 마주치기 직전에도
이미 내가 먼저 네 눈을 바라보고 있었고

뱉어내기엔 너무 초라한 말들을
떨리는 마음으로 애써 잡고 있었는데

너는 눈빛을 돌리고 더 이상 내 눈을 보지 않아서
내가 준비한 수많은 연습들은 더 이상 쓸모 없어졌어

봄

초록색이 돋보이는 봄을 느끼며 너를 본다
새하얀 꽃들이 펼쳐져 있는 초원 너머를 본다

초록색을 사랑한다던 너는
사랑한다의 뜻은 아는지 모르겠지만

철없던 너였더라도 나는 너와 같이 봄인 척을 하고
봄에 오래오래 남았을 것이다

봄에는 눈이 녹고 꽃이 피듯이
나도 봄에는 마음이 녹으며 네가 마음에 피듯이

네가 나의 봄이면 나도 너의 봄일 테니
나는 너와 함께 오래전부터 봄이었을까

우연

우연이 반복되면 인연이 되듯이
너와의 우연한 만남이 인연이 되길 기대했다

너와 집 가는 방향이 같은 것도 우연
너와 가끔 눈이 마주치는 것도 우연

이 우연이 반복되니 인연이라고 착각했다
인연이라면 진작에 우리가 만났을 텐데

그렇다면 이 세상의 수많은 사람들 중에
네가 내 세상에 들어온 것도 우연이었을 텐데

왜 우연은 수도 없이 일어나는데
도대체 인연은 왜 일어나지지 않는지

애초에 너와 내가 만난 것이 우연이 아니었을까

유성

그렇게 많은 유성이 쏟아지는 걸 본 날은
우연이었던 건지 너와 함께 있었을 때 쏟아진 유성이었다

그 쏟아지는 유성을 볼 때는
주변의 풍경들이 모두 조화를 이루며 유성을 도왔고
유독 밝게 빛나는 별이 유성을 더 띄게 하였다

그날 본 모든 것들은 절대 잊기 싫었던
가장 아름다웠던 순간들이었다

눈을 깜빡일 시간도 아까워 눈을 크게 뜨고
떨어지는 유성을 바라보았던 그날은

너와 함께 있었어서인지 너와 유성이 무척이나 닮아 보였다
어쩌면 전생에 나는 별 너는 유성이었을까

폭죽

잠시라도 희망차게 하늘로 떠오르는 폭죽
폭죽이 터질 땐 여태까지의 우리 사랑을 담은 듯

잠깐 타올랐다 금방 꺼져버리는 폭죽
그 표현은 아마 우리 사랑과도 같았겠지

점점 끝나갈 때쯤에 처음처럼 식어가는 폭죽
그건 이제 끝나간다는 의미를 담은 우리 사랑이겠지

모든 걸 알면서도 모른 척 다시 타오르려 하는 밤하늘
폭죽을 대신해 밤하늘만 더 환히 빛나는데

세상

그대라는 세상이 나의 세상에 닿기를 바라며
그대가 사는 세상 속에 들어가서 내 세상을 보이고 싶다

우리 둘 사는 곳은 어찌나 다른지 이토록 멀까
서로의 세상에 닿지 않을 거리가 이토록 멀었을까

그대 옆으로 슬그머니 다가가 손을 잡고
언제나 그랬듯 입맞춤을 추고 싶다

나의 세상이 그대의 세상에도 닿기를 바라며
그대가 사는 곳은 내가 사는 곳과 얼마나 다른지 몰라도

결국 돌고 돌아 내 세상으로 들어올 그대에게
나지막이 말을 전한다

평범함

우리는 길 가다가 보이는
풀잎을 바라보는 것으로도 웃곤 했다
그 풀잎 조차에 희소를 지운 우리 매일은 아름다웠고

하늘에 둥실둥실 떠있는 구름은 날 편안하게 해주었고
그 구름이 떠다니는 곳 아래는 항상 우리가 서있었다

볼 수 없는 풍경을 희미하게 보이는 그림자로 알 수 있었다
우리가 보는 것은 특별함이 아닌 평범함이라는 것을

이 사실을 이제야 깨달은 나는
매일을 평범하게 보냈던 날들을 고맙다고 여겨본다

다시 청춘

푸를 청, 봄 춘

청춘이란 내 사람이었지만 결국 떠나가는 그이에게
연명하여 목숨을 애달프게 이어가는 것일까요

청춘은 도대체 무엇이길래 이토록 아플까요
모두 이 아픔을 참으며 청춘만을 즐기는 건가요

한때 나의 전부였던 사람에게 말하는 봄날의 청춘
푸름을 선물하고 애정하는 그대에게 전하는 청춘

나무 같은 무뚝뚝한 그이에게 나비처럼 다가가
어느 봄이 왔다는 소식을 전해주는 반복되는 청춘일까요

저는 그이에게 어떤 사람이길래
이렇게 매일의 봄을 전달해 주어야 할까요

지독한 가을

노을을 닮은 노랗고 주황빛을 뜨는 단풍잎
내 발걸음 앞으로 소리도 안 내고 떨어진다

가을의 분위기를 닮아 노르스름 해지는 나무의 색
붉게 물들여져 나의 눈동자도 그리 보이게 해진다

축축한 이슬이 묻은 나뭇잎
축축해진 단풍길을 천천히 걸으며 가을의 지독함을 느낀다

지독히도 남아있는 가을
아무리 해가 져도 끝까지 여운 남듯 남아있는 가을

떨어지는 단풍잎을 잡고 소원 빌면 이루어질까 봐
흩날리는 단풍잎을 잡으려 애써본다

행복

우리 서로 행복을 빌며 도망칠래
보이지 않는 행복도 좋고 보이는 행복도 좋아

그냥 내 옆에서 조용히 행복을 연관 지어 사랑을 얘기해 줘
그 말을 듣고는 아무 말 않고 네 옆에 조용히 남아있을게

만약 네가 행복에 못 이겨 어린애처럼 펑펑 울어버려도
나는 네가 울음을 그칠 때까지 기다려줄게

네 울음이 그치면 이제 그만 내손 놓고 작별을 고해도 좋아
네 어떤 울음도 작별도 다 받을게

우리 이제 서로 행복을 빌며 도망가자
우리 함께 말고 각각의 행복을 빌며 저 멀리로 떠나버리자

절망

너를 간절히 절망한다
네가 절망하지 않고 내게 올 수 있도록

자그마한 파도에 휩쓸리지 않고
꿋꿋이 내게로 다가올 수 있도록

네가 만약 절망하게 된다면 내가 네 손을 잡을 테니
너는 나에게 기대 발걸음만 옮겨도 좋아

지금 이 순간에도 네가 파도에 휩쓸리지 않게
안 그래도 연약한 네가 쓰러지지 않게

멀리서 지켜보고 있으니
끝까지 희망찬 발걸음을 한 걸음씩 내디뎌주길

습지속

애처로우며 순애가 보이는 두 사람이 있었다
습지 속에서도 사랑을 약속했던 두 사람이었다

비가 내리면 안 그래도 축축하던 바닥이
더 젖어가 두 사람의 심장 높이까지도 물이 차올랐다

그럼에도 두 사람은 서로의 사랑했던 약속을 지키기 위해
꿋꿋이 그 자리를 지키며 서있었다

머지않아 비가 그쳐 다행이라고 서로를 보며
가슴을 쓸어내리던 두 사람은
곧바로 내린 폭우에 젖어가고 차오르는 물의 깊이 속에서

마지막까지 약속을 지켰던 자신들이라며
그 깊은 곳에서 눈을 감았다

칠월공기

칠월 어느 날,

덥고 습하던 어느 칠월 공기
너와 만났던 그 칠월 공기를 난 아직도 잊지 못해

우리만 바라보던 태양은 몸을 돌렸고
울창히 자라던 숲들은 더 이상 자라지 않아

네가 남기고 간 건지, 놓치고 간 건지
칠월 공기를 기억하고 있을 너지만

사실 내가 너에게 물어보면 대답 못할 네가 걱정돼서
아직도 네 생각에 대해 물어보지 못했어

칠월 공기는 정말 따스하고 좋았는데
곧 너에게 물을 수 있는 날이 오길 바래

인연

인연인 줄 알아서 악연이 아니길 기도했어
서로 사랑하게 되는 것이 어쩔 수 없는 인연이라면

아주 만약에 서로 사랑해서 죽어야 하는 운명에 처한다면
이보다 더한 악연은 없다고 생각했고

이런 순간 속에도 인연의 운명을 거부하지 않고
끝까지 나는 너를 사랑하고 너는 나를 사랑하고

그 끝의 결말이 죽음인데도
서로를 놓지 않았던 우리의 인연은 악연이었었던 걸까

아니면 그 인연의 끝을 장식한 죽음은
우리 인연보다 훨씬 더 아름다웠었던 걸까

향수

너무나도 사랑했었던 걸까
아직도 내 곁에 남겨진 향수의 잔향

너무나도 잊기 싫었던 걸까
아직도 내 눈앞에 아른거리는 네 모습

너무나도 아팠었던 걸까
아직도 네 생각에 벗어날 수 없는 내 심정

향수의 잔향처럼
네가 떠나간 후에도 내게 남겨진 것들

그리움2

"그리움"이란 단어에 숨겨진 너무나도 많은 진심들
어떤 대상을 잊지 못해 생기는 마음 깊이 새겨진다

그리움이란 때론 좋기도 하고 나쁘기도 하다

좋았던 그 시절에 잠깐 돌아갈 수 있게
그리움이 발판이 되는 그리움

그렇게 좋았던 그 시절은 더 이상 오지 않는다는 걸
깨닫고 아프게 하는 그리움

너에 대한 그리움은 어떤 그리움인가
잠시나 마라도 좋은 추억에 잠길 수 있게 발판이 되어줄까
그 추억에서 깨고 나면 절망감에 휩싸이게 될까

때문에

깊이 잠들어서 내가 온 것도 모르고 자고 있는 너
어쩌면 외면일지도 모르겠지만

나는 그래도 널 사랑하기 때문에
외면일지도 모르는 네 곤히 잠든 표정을 바라보고

아무도 모르게 네 이름을 슬쩍 불러보고는
다시 뒤돌아서 터벅터벅 왔던 길을 되돌아간다

몇 발자국 안가 걸음을 멈추고 뒤를 돌아보는 나
너를 사랑하기 때문일까 널 두고 쉽게 떠날 수 없다

내가 뒤돌아있을 때도 괜찮으니
너는 조용히 눈을 떠서 내가 갈 길을 바라봐 주길
사랑하기 때문에 잊히기 힘든 것을 잊지 않도록 도와주길

구원

나를 망치기 위해 다가온 나의 구원자야
우리 같이 이 사랑 있는 세상 속에서 구원받자

사랑하기에 힘들고 아프고 지치고
이런 아픈 감정들을 벗어나서

사랑할 수 없는 구원 속에서 너라는 구원자가
날 데리고 사랑 없는 곳으로 도망칠 수 있도록

우리 그렇게 천천히 구원 속에 눈 감아가자
우리는 그저 구원 속에 도망치는 중이니까

바닷가

고요히 일렁거리는 파도의 잔 물결
부서지는 파도 소리가 들려오고
그 바닷가에 서있었던 우리

너는 그 해 바닷가를 기억하니

햇빛은 그리 강하지 않게 우리를 내빛 추었고
바람을 타고 서서히 불어온 바닷가 향
그 향 끝의 남겨지는 강한 잔향

나는 아직도 그 해 바닷가를 잊지 못해
내 추억 속에 여전히 파도는 일렁거려

나

나도 누군가에겐 잊기 힘든 사람으로 남겨지길,

그냥 조금, 기억 속에 맴돌다가 서서히 잊힐 때쯤
"드디어 잊었나?" 할 때
문득 다시 떠오르는 잊기 힘든 사람

나도 그렇게 누군가의 간절한 그리움이 되길

내가 잊기 힘들었던 그 사람만큼
누군가에게 나도 잊기 힘들었던 사람이 되길

어둠

끝이 없을 것만 같던 어둠 속에서
내 손에 낙엽 마른 풀을 쥐여주던 너

날 어둠 속에서 꺼내주고는 사라져버린 너
네가 사라지고 머지않아 봄이 찾아왔다

네가 기다리던 봄이 왔는데
너는 어째서 나타나질 않을까

나 대신 혹시 네가 어둠 속에 있는 걸까
내가 네 봄을 앗아간 걸까

죽음 앞

죽음이 코앞으로 다가온 어느 날
너는 내게 이리 말했다
"먼저 죽은 사람이 상대방의 사랑을 장식해 주자"

난 그때 무슨 말이었는지 잘 몰랐다
너는 네가 죽을 줄 알았던 건지
네가 그 말을 하고 너는 다음날 죽었다

네가 내 사랑을 장식해 준 건지
나는 슬프지도 않았고 너무나도 멀쩡했다

죽음 앞에서도 그런 말을 할 수 있는 네가 부러웠다
그러고 나서 네가 나를 믿는다는 표시로 한 말이었다는 걸
깨닫고 나서는 한동안 슬픔에 장식되어 죽음에 포장되었다

상처

사랑은 한때 꽃처럼 활짝 피었지만
그 꽃잎 하나하나가 떨어져 나갈 때마다

내 마음도 점점 찢겨나갔다
그래서 생긴 상처는 점점 흉터가 되고 처음처럼 아물어갔다

눈물이 담겼지만 웃고 있는 그대의 미소가
내게 점점 멀어져 가는 그대의 뒷모습이

다시 나를 아프게 해서 다시 한번 상처가 되었다
사랑은 상처를 내 빈자리에 다시 파고 들어간다

결국 사랑은 상처만을 남기고 떠나간다

우주

우주처럼 광대하게 널 사랑해
무한한 우주의 작디작은 빛 일더라도 말이야

그 무한함을 동경하여 너를 사랑할게
작은 별들이 모여서 네 주변을 감싸게 할게

황홀한 우주 속에 숨어서 나의 모든 걸 잊고
작은 먼지들 사이로 과거를 털고

무한한 세계 속 우리 이야기를 담은 사랑을 할게
하늘 높이 펼쳐진 그 우주를 아무도 깨닫지 못하게

탓

이 모든 게 네 탓이다

내가 너를 사랑한 것도
네가 나를 사랑한다고 한 거짓말도

내가 너를 미워한 것도
네가 나를 미워한다고 말하지 않았던 것도

내가 너를 떠나보낸 것도
네가 나를 떠난 것도

이 모든 일이 다 내 탓이라고 할 것이다

아니면 처음부터 너와 만나지 않았다면
이런 일이 일어나지 않았을까

청운

네가 떠오른 하늘 속 구름은 청운 같았다
푸른 하늘 속, 사실 그 안은 아무것도 없겠지만

공기 중을 타고 떠돌아다니는 우리 이야기
그 이야기를 잡으려고 많이 애썼다

청운이 비가 되어 내리면
그제야 우리 이야기 담을 수 있겠구나

푸른 빛깔의 구름,
그 속에 담겨있던 모든 것들이
이제야 꺼내져서 여기저기로 흩어진다

여운2

네가 남기고 간 여운
난 그 여운을 품에 감싸 안는다

긴 여운으로 널 아직 잊지 못한 나는
어떤 마음으로 널 기다려야 하나

가끔 어렴풋이 떠오르는 네가 여운을 남겨
난 아직도 어떤 마음을 가져야 할지 도통을 모르겠다

후회

네가 사라졌던 그 바다
그 바닷속으로 널 찾으러 가지 말걸

날 심연의 끝으로 몰아세운 너를 용서하고
네가 빠진 그 바다에 널 찾으러 같이 빠지지 말걸

나는 네가 사라진 12월의 어느날
나도 그렇게 그 차디찬 바다에서 사라졌잖아

그렇게 모두의 기억 속에서 난 점점 사라지고 있고
물거품이 되어버려 형태도 남지 않은 채
바닷속에서 사라지고 있으니

바람

나는 네가 행복하지 않았으면 좋겠어
이기적일지는 몰라도

나보다 더 이기적이었던 널 생각하면
내 바람은 너무나도 흔들려

네가 후회하길 바라
나를 놓친 것과 동시에 내 모든 것들을 후회하길 바라

나는 글을 씀으로써
너에 대한 감정을 차차 줄여나갈게

너는 끝까지 후회하고 이기적이었던 널
스스로조차 용서 못 하고 매일을 살아냈으면 좋겠어